A B C D E F G

N O P Q R S T

Meet big **N** and little **n**.

Trace each letter with your finger and say its name.

N is for

newt

N is also for

noise

noodles

nap

nine

Nn Story

Ned the **n**ewt feels **n**aughty.

Ned makes lots of **n**oise.

Ned does **n**ot eat his **n**oodles.

"You **n**eed a **n**ap," says Mom.
"**N**O, **N**O, **N**O!" yells **N**ed.

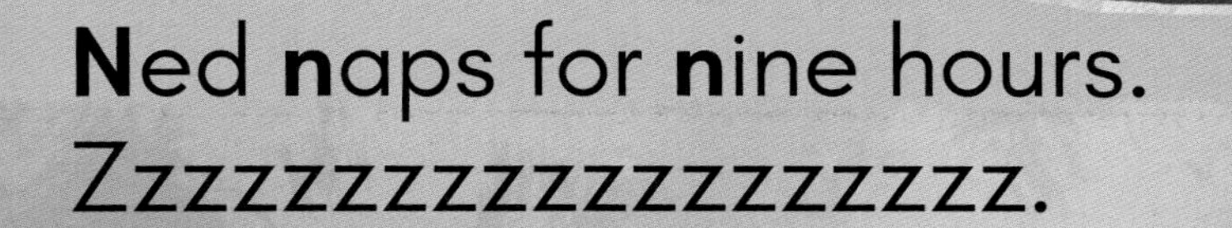

Ned **n**aps for **n**ine hours.
Zzzzzzzzzzzzzzzzzzz.

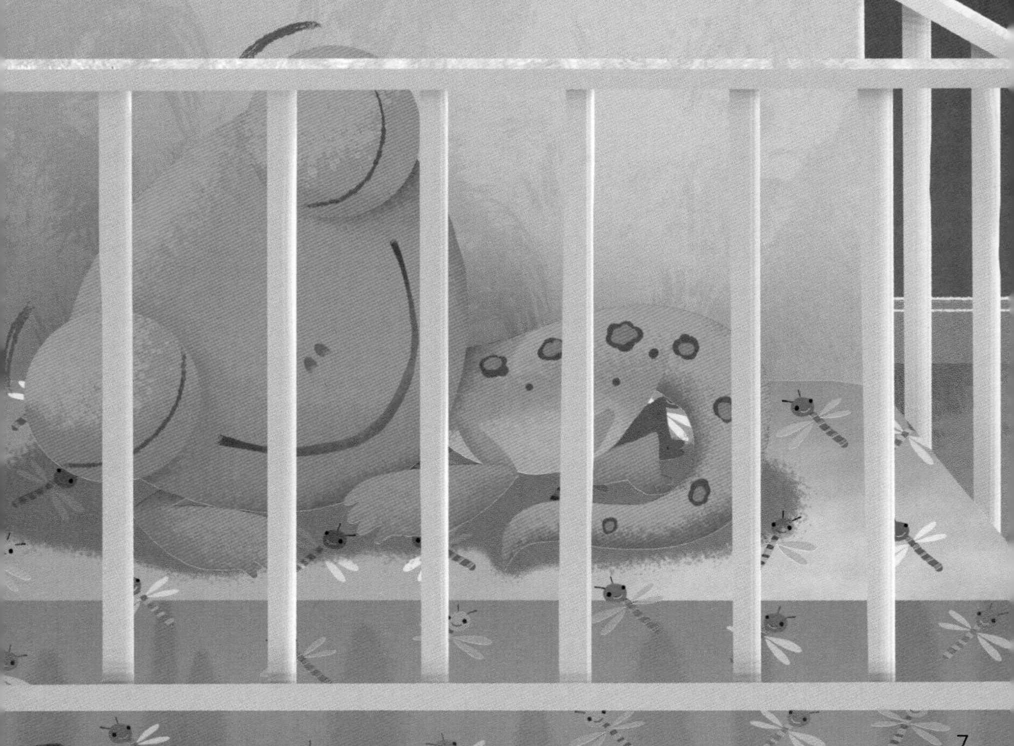

Now, Ned feels nice!